F의 감성일기
그런데 T를 살짝 곁들인

F의 감성일기 그런데 T를 살짝 곁들인

발 행 | 2024년 1월 1일
저 자 | 조베르
펴낸이 | 한건희
펴낸곳 | 주식회사 부크크
출판사등록 | 2014.07.15.(제2014-16호)
주 소 | 서울특별시 금천구 가산디지털1로 119 SK트윈타워 A동 305호
전 화 | 1670-8316
이메일 | info@bookk.co.kr

ISBN | 979-11-410-6131-9

www.bookk.co.kr
ⓒ 조베르 2024

F의
감성일기

그런데 T를 살짝 곁들인

조베르 지음

CONTENT

마치며

에필로그

프롤로그

심심할 때 가볍게 읽을 수 있는 책.
불편하지 않은 친구 같은 책.
생각거리가 될 수 있는 책.
힘들 때 위로가 되었으면 하는 책.
그런 책이 되길 바라며
살다가 스쳐 지나간 생각들을 담아본 책.

이 책으로 나의 이야기가 우리의 이야기가 되길

시간

시 : 시간이 지나고
간 : 간절히 원하던 일들이 다 이루어지길.

시 : 시작은 언제나 늦지 않았다.
간 : 간혹 지연되더라도 언젠가는 그 소원이 이뤄지
　　길 나 스스로 응원하며 달려가자.

시 : 시발.
간 : 간단하게 이뤄질 줄 알았는데.

쉽지 않은 현실.

사과

잘 깎여진
한 조각의 아침 사과.
한입에 쏙 넣으면
금방 시원해지는 입 안
바로 상쾌해지는 기분.

없어도 크게 아쉽지도 않고
안 먹으면 그만인 사과.

그래도 가끔 생각나는
그런 한 조각의 아침 사과.

생각만으로 리프레쉬
되는 그런 것.

그런 존재.

확실한 건 그게 나는 아닌 것 같다.

퇴근

오늘은 마치고 운동을 해야지.
오늘은 저녁 조금만 먹어야지.
오늘은 그냥 누워 있지 말고 뭐라도 해야지.
오늘은 생산적인 걸 좀 해야지.

퇴근 후 집으로 몸을 옮긴다.

출근 후 일하면서 했던
결심이 무너지는 것은
퇴근을 하는 순간 시작된다.

결심을 하면 못 지키니
결심을 하지 말자는
결심을 한다.

공영주차장

이동 중에 공영주차장에 차를 대고 근처에서 서둘러 밥을 먹고 나왔다.

30분 정도 주차를 했는데 공영주차장 치고 생각보다 주차비가 많이 나와서 물었다.

"여기 10분에 얼마에요?"
"10분에 XX원. 30분 댔으니까 XXX원요."
"엥? 여기 공영주차장 아니에요?"
"공명주차장이요."
"……"

간판도 둥그스름한 네모로 디자인해 두었다.

저건 진짜 유도한 게 아닐까?

한줄평 : 90년대 깔깔 유머집 에피소드 같다.

물 흐르듯

나는 이렇고 이렇게 살아간다.

너는 그러니 그렇게 살아가라.

이것도 이래라저래라?

폰

지하철 자리를 잡고 앉아
핸드폰에 고개를 처박은 사람들
내용에 몰입한다.
화면에 빠져든다.

공공의 공간 속
각자 개인의 공간을 만든다.
단절된다.

모두와 함께 있지만
외로운 사람들.

현재의 심심함을 달래기 위해
혼자라도 즐거울 수 있는
가상의 세계로 본인을 집어넣는다.

그렇다고 나도 딱히 할 건 없다.
고개를 숙인다.
핸드폰을 본다.
화면에 빠져든다.
단절된다.
즐거워진다.
웃는다.

마인드

잘 될거라고 생각하면서 해도 잘될까 말까 하는데
안 될 거라고 생각하면서 진행하면 풀릴 일도 잘 안
풀릴 것 같다.
그러니 어찌 될지 모른다면 일단 긍정적으로 생각하
며 진행하고 보는게 어떨까?

그건 그렇고 내 인생은 어떻게 될까?
하던 일은 잘 될까?

에라 모르겠다.
될 대로 되겠지.
하면 하는 거고.
안되면 담에 하고.
뭐 생각한다고 생각대로 된적도 없고
잘 풀릴거 같지도 않고
뭐, 대충 살자.

이론과 현실

본능

먹었다.
왜?
그냥 먹고 싶어서.

잤다.
왜?
그냥 잠이 와서.

하지만 아침에 일어날 때 한번만에 눈을 번쩍 뜨고 침대에서 벌떡 일어나서, 본능적으로 기쁜 마음으로 운동을 하고 싶다는 생각은 좀처럼 잘 들지 않는다.

본능은 왜 게으르고 살찌는 방향으로 되어 있을까?

본능 탓.

어제, 오늘, 내일(희망편)

어 : 어제는 어떤 날이었나?
제 : 제일 신나고 멋진 하루였어!

오 : 오늘은 또 어떤 날일까?
늘 : 늘 행복이 가득한 날이길 바라는 거야.

내 : 내일이 밝아오면
일 : 일상이 재밌는 일로 가득하겠지?

어제, 오늘, 내일(절망편)

어 : 어제는 어떤 날이었나?
제 : 제일 잊고 싶은 날이었어.

오 : 오늘은 또 어떤 날일까?
늘 : 늘 그렇듯 또 똑같은 일상이겠지?

내 : 내일이 되면
일 : 일이 또 늘어나겠지?

진인사 대천명

매일 꾸준히 진행하는 것이 중요할 때가 있다.

그럴 땐 별생각 없이 그냥 진행하면 결국 묵묵히 해낸 내가 남는다.

생각을 하지 않고 그냥 하는 것.

쉽지 않지만 좋은 해결책.

당장은 결과를 생각하지 말고 일단 할 것을 다 해낸 후에 결과를 맞이하면 나의 감정은 스쳐 지나가지만, 결과는 남는 것이다.

그런데 별생각 없이 꾸준히 그냥 진행하는 것이 좀처럼 쉽지 않다.

그렇다면 책이라도 읽는 것이 좋은 것 같다.

귀찮음은 지나가도 지식과 자격증은 남기 때문이다.

하지만 집중하고 싶지 않고 그냥 편안한 상태로 있고 싶으며 굳이 머리를 쓰기 싫다는 생각이 든다.

그럼 다른 생각하지 말고 운동이라도 하는것이 좋은

것 같다.

아무 생각하지 않고 운동을 하고 나면 건강한 폐와 근육은 남는다.

하지만 육체적 고통을 원하지 않는다.

그럴 땐 분명 쉬어가기가 필요한 시점이다.

그럼 찝찝해 하기라도 하자.

인지라도 하고 있는게 중요하다.

그렇게 되면 '그래... 나는 쉬어갈 타이밍이고 찝찝해 하고 있으니까 괜찮아'라고 하며 대놓고 쉬면서 정신 승리 엔딩으로 귀결된다.

운동도 안 하고 독서도 하지 않았다는 걸 길게 말했다.

폄하

우리는 누군가의 노력을 쉽게 [폄하]한다.
나 역시 그랬다.

극장에 가서 재미없게 본 영화에 이런 영화는 나도 찍겠
다고 생각했다.
시간 투자해서 본 재미없는 소설에 이런 글은 나도 쓰겠
다고 생각했다.

하지만 [창작]이라는 것은 분명 쉬운 것이 아니다.

하나의 작품, 하나의 세계를 만들어 낸다는 것은 어렵다.
큰 노력이 필요하다.
모든 작품은 한 창작자의 노력의 결과물이다.
그런 창작자의 노력과 고통을 이해하고 알아줘야 한다.

하지만 나의 귀한 돈과 시간을 투자했는데 퀄리티가 낮은
걸 보고도 창작자가 [노력]했다는 이유만으로 재미를 느끼
고 이해를 해줘야 하나?

미리 검색하여 사전에 거르지 못한 나의 잘못인가?

그것을 보기 위해서 사용한 내 돈에는 나의 노력이 담겨 있다.

돈을 내고 본 독자나 관객이라면 질 낮은 작품에 대해 비판할 수도 있지 않은가?

그러면 비용을 지급한 폄하는 [정당]한가?

폄하가 안된다면 적당히 좋지 않은 평가 정도는 괜찮은가? 적당히 좋지 않다는 기준은 어디까지 인가?

그리고 "그런건 까도 된다"라며 까내리는 것에 대해 스스로 정당성을 부여하고 있지는 않은가? 그렇게 까라고 작품 낸거 아니냐는 것은 악플러의 논리와 다를게 없지 않은가?

글을 쓰다 보니 생각의 흐름을 정리도 안했고
말하고자 하는 바도 명확하지도 않고
얻는 것도 없고 의식의 흐름대로 그냥 주절대고 있다.
뭐 이런 똥글이 다있지?

이 글을 읽는 당신.
혹시 '이런 글은 나도 쓰겠다.'라는 생각이 드셨나요?
저의 노력을 [폄하] 하셨나요?

겨 울

겨울이 되었다.
날씨가 추워진다.
내 마음도 차가워진다.

여름을 회상해 본다.
날은 더워졌지만
당시 내 마음은 분명
뜨거워지지 않았었다.

세상을 바라보는 시각은
갈수록 차가워진다.

냉정해진다.
좁아진다.
깊어진다.
겨울이 지나면
봄이 오는 걸 알고 있지만
애석하게도.

이제는 쉽게 가슴이 뜨거워지지 않는 나 자신을 돌아보며

짧은 고요함

토요일 아침 9시의 고요함.
백색 소음의 심적인 편안함.
새들의 지저귀는 소리.
오늘 하루는 이거면 충분하다.

사람 만나기 좋아하고 그들로부터 에너지를 얻으면서 언제나 밝은
에너지가 넘치는 그녀에게 물었다.
"일주일을 그렇게 왁자지껄하면서 에너지 넘치게 보내는데 그래도
때로는 고요한 명상 시간도 필요하지 않나요?"
그녀가 답했다.
"토요일 오전 9시 잠시의 조용함이면 일주일은 충분한 거 같아
요"
기준이 나와는 확실하게 달라서 신선하게 들렸다.
그녀의 입장이 되어 써본 글.

텔레비전

어렸을 때
"TV는 바보상자"
라고 하던 엄마가
유튜브에 빠져
정보의 홍수 속에
흠뻑 젖어 계신다.

그래.
텔레비전이랑 유튜브는 다른 거니까.

아들, 시간이 날 때 이 채널 쫙 한번 봐라.

플렉스

평일엔 점심값 걱정, 주말엔 오마카세 '플렉스'
연말 오마카세, 특급호텔 뷔페 비싸도 GO.
서울 특급호텔 뷔페 저녁 요금, 1인당 20만원 내외.
12월 주말 예약 거의 완료, 주중 예약률도 70~80%.
가치소비 트렌드 회식 분위기 변화 영향.

점심값 아껴서 주말에 소비하는 게 문제라고 한다.
평소 돈 아껴서 연말에 돈 쓰는게 문제라고 한다.
미래를 위해 저축하지 않고 과시를 위해 소비하는 세
대에 대한 비판이 이어진다.

그런데 저축도 못 하고 돈을 아껴도 주말, 연말에 플
렉스도 못 하는 사람도 있는데 너무 그러지 마라.

나다.

빨대

어린아이 두 명에게 달콤한 음료 한 개를 전달해 주었다.

하나의 음료를 두 명이 나눠 먹어야 해서 빨대 2개를 꽂아 주었다.

그중 한 명이 한 개의 빨대로 음료를 마셨다.

다른 한 명은 음료를 이어받아 두 개의 빨대가 꽂혀 있는 것을 보고 두 개를 한입에 물고 음료를 빨아 먹었다.

그러자 빨대 한 개로 먹던 아이가 말했다.

"빨대는 원래 한 개로 마시는 거야."

그러자 두 개의 빨대로 먹던 아이가 말했다.

"나도 알아. 그냥 빨대 두 개로 마셔도 음료가 나오는지 한번 해본 거야"

별거 아닌 흘러가는 상황이었지만 내 어린 시절이 떠올랐다.

크게 문제 되지 않는 것이라면 같은 상황에서 정해진

대로 하지 않고 다양한 시도를 해보려고 했었다.

'이건 원래는 이렇게 하는 거라고 하는데 이렇게 하면 어떻게 될까?'

그렇게 수시로 정해진 것에서 약간의 변화를 주며 차이를 둬보며 살아왔고 때론 과감한 전체 틀 변화를 하며 살아왔다. 그것이 창의성을 추구하는 나의 특성을 반영한 것이라고 생각했다.

그러다 보니 사회적으로 그것을 규율화하고 보편적으로 통용되는 것들에 대해 그렇게 정한 이유를 알 수 있는 것으로 연계되었고 문제가 생겼을 때 그것을 개선 시키는 시야도 생기는 경험을 할 수 있었다.

물론 너무 당연한 것에서 혼자 그러고 있으면 이상한 시선을 받기가 쉽다.

당연한 것도 모르는 사람 취급을 받기도 한다.

예상에서 벗어나거나 이상한 행동, 돌발적인 행동을 하는 사람 취급이 따라온다.

그리고 가끔은 예상하지 못한 곳에서 그것이 영향을 미쳐 피해가 발생하기도 한다.

그런 것은 시행착오이자 자연스레 동반되는 것이라고 생각하고 그것까지 반영해서 개선한다면 더 나은 상태가 되는 것이다.

한 개의 빨대로 음료를 마신 아이의 말에 두 개의 빨대로 마신 아이가 대답한 것처럼 원칙은 나도 알고 있다.

빨대는 각자 한 개씩 배정받았고, 배정받은 한 개의 빨대로 빨아 마시면 음료는 정상적으로 나온다.

하지만 그것을 깨부쉈을 때 그 경험으로부터 파생되어 나오는 것들이 여러 가지가 있다.

두 개로 해봤다면 빨대 세 개, 네 개가 궁금할 수 있고 빨아 봤다면 불어 볼 수도 있다. 그러면서 빨대 여러 개를 활용한 무언가를 언젠가 할 수 있는 데이터가 쌓일 수 있다.

새로운 시도와 다양한 경험.

창의성은 기존의 것을 뒤집어 보고 원칙을 깨보는 데서 나온다고 생각한다.

물론 한 개의 빨대로 먹은 아이는 아무 잘못이 없다.

그게 맞다. 음료에는 빨대 한 개를 꽂고 그렇게 마시는 것이 맞다. 빨대 두 개로 마시다가는 자칫 흘릴 수도 있다.

하지만 음료를 마시는 방법의 원칙을 떠나,

결과적으로 누가 많이 마셨는지를 떠나,

두 개로 마시다가 다시 음료가 흘러 들어가는 위생 문제를 떠나,

단순 호기심으로 새로운 시도를 바로 적용해 보는 모습에서 창의성의 기초가 떠올랐다.

단순 암기는 창의성을 따라오지 못한다고 생각한다.

당신이 외우고 있는 것은 누군가가 창의성을 발휘하여 만들어 놓은 것을 외우고 있는 것일 가능성이 높다.

그래서 나는 누군가가 새로운 시도를 할 때 가능한 그 시도를 응원하려고 한다.

"나도 알아. 그냥 이렇게 하면 어떻게 되는지 한번 직접 체험해 보고 싶었어"

아이들이 음료 하나 마시는데 별의별 생각을 다하네.

추억 상자

좋았던 기억들
사소하지만 행복했던 순간들
그런 추억들을
어느 상자 안에 모아 둔다면
언젠가 그 상자를 열었을 때
바로 행복해지지 않을까?

그것들을 살짝 들여다본다.

과거의 행복한 순간.
크게 웃었던 일.
잊고 있었던 것들.

나의 과거 행복을 돌아보면
지금 금방이라도 행복해질 것 같다.

그런 보장된 행복이 들어있는 상자는 어디 있을까?

당신이 그 상자이며 우리의 만남 그 자체에 우리가 함께 나눈 추억이 가득.

충고

이래야 한다 저래야 한다는 식의 자기계발서에 담긴 동기부여, 충고, 지침 등은 언젠가부터 왠지 거부감과 반항심부터 든다.

오히려 그 사람은 자기가 말한 대로 그렇게 사는지 궁금해진다. 충고에 관한 내용에 집중하기보다 그 사람이 실제로 한 행동과 그 결과가 보고 싶어지는 것이다.

현실에서 만난 그런 사람들은 주로 언행이 불일치했다. 그런 말을 하는 사람은 이렇게 멋진 사고를 가진 사람이라고 본인에게 취해있거나 본인에게 유리한 상황을 펼치기 위해 그런 말을 활용한다.

그러면서 나는 누군가에게 이래라 저래라 하지 않는지 돌아본다.

고개를 숙인다.
입을 닫는다.
소통이 단절된다.

우리 모두 다르지 않다. 인지를 못 할 뿐.

공감과 해결

무지성 공감은 문제를 해결하지 못한다.

하지만 상대의 상처를 보듬어 줄 수 있다.

그로 인해 진심 어린 공감을 통해 상대에게 에너지를 채워준 후 스스로 해결하도록 할 수 있다.

극단적 해결책 제시는 잘잘못을 따지며 상처를 주고 누군가의 책임을 강요한다. 하지만 그로 인해 문제는 해결될 수 있다. 상대의 상황을 다 이해하고 그것에 상황적 공감을 했기 때문에 해결책이 나온 것이다. 그로 인해 상대의 상처가 치유될 수 있다.

그런데 문제가 더 커질 수도 있다. 주로 책임을 지지 않는다.

양면, 장단이 있다.

가만히 얘기를 들어주다가 스쳐 지나가듯 던지는 한마디에 아이디어를 얻어 문제가 해결되고 그와 동시에 위로와 해결이 될 때가 있었다.

그래서 이론상으로는 선 공감, 후 해결책 제시가 가장 좋은 방법으로 보인다.

현실 : 무지성 공감자들과 극단적 해결책 제시자들의 천국

자기 객관화

자기 객관화가 잘되면 자존감이 떨어진다.
ㄴ 나는 너무 못생겼어.

자기 객관화를 너무 못하면 눈치 없는 사람이 된다.
ㄴ 나는 너무 멋져. 내가 최고야

자기 객관화를 못 하는 사람은 잘하는 사람을 이해 못 한다.
ㄴ 너는 왜 그렇게 자신감이 없니? 나처럼 자신감을 가져

자기 객관화를 잘하는 사람은 자기 객관화 못 하는 사람에게 상처받는다.
ㄴ 쟤는 나처럼 뭣도 아닌데 왜 나한테 저러고 다닐까?

웬만하면 가진 것은 얼추 비슷하다. 본인의 생각과 대응이 다를 뿐.

스투키

스투키를 선물 받았다.

상황적으로 여의치 않았고 식물을 잘 키울 자신이 없었고 심적으로 여유도 없어서 당시 원치 않는 선물을 받았다고 생각했다.

햇빛이 드는 곳으로 옮기고 볼 때마다 물을 챙겨 주었다. 당시 내가 할 수 있는 최선의 최소한의 관리였다.

그러다 시간이 흐르고 스투키가 하나씩 말라가는 것을 보았다.
한꺼번에 동시에 죽는 게 아니고 한두 달에 하나씩 색이 변하며 죽어갔다.

여러 가지 좋지 못한 일이
겹쳐서 발생하던 때라
색이 변해가는 그를 보며
나 대신 간 게 아닐까?

나 혼자 미안해하고 괜히 슬퍼했다.

죽어가는 스투키를 하나씩 뽑아낼 때마다
남아있는 스투키를 위해 물을 많이 부어 주었다.
그래도 남은 것들은 잘 살라고.

하지만 지나친 물은
스투키에게 좋지 못했고
그것이 남은 스투키의 수명을 더욱 줄게 했다.

상대를 잘 모르고 하는
내 사고에 맞춘
상대에게 맞지 않는 배려는
상대를 더욱 힘들게 할 뿐이었다.

죽고 나서야 알게 되었다.
죽고 나서라도 알았다.

* 스투키 꽃말은 관용이라고 한다. 무지했던 나의 용서를 받아 주
길 이기적으로 기원해 본다.

인터넷 공감

오 저런...
너무 슬프다...
그런 일이 있었구나......

와~ 어떻게 사람이 저럴 수가 있지?
무서운 세상이야.

틱(대충 핸드폰 내려놓는 소리)
치익 탁(대충 콜라 따는 소리)
꿀꺽꿀꺽(콜라 마시는 소리)
드르렁 쿨쿨(신경 끄고 속 편하게 자는 소리)

세상일에 슬퍼하고
두려워하고
공감하지만
핸드폰을 꺼버리는 순간 남의 얘기.

사랑

"속절없이 흘러가는 시간 속에
사랑이라는 완벽한 답이
어떻게 존재할 수 있다고 생각하세요?"

한 예능 프로그램에서 영지가 뜬금없이 물었다.

"그 사람이 잘 잤으면 하는게 사랑인 것 같아"
라고 은지가 즉답했다.

사랑의 존재 여부에 대한 영지의 물음에
은지는 사랑의 정의로 답했다.

처음에는 대답이 좀 안 맞지 않나 생각했는데 사랑이
존재 하는 건 당연하다고 깔고 그것에 대한 본인의 정
의를 내린 것 같았다.

은지가 말하고 동감한 그 사랑이라는 게
특별한 것 없이
그 사람이 보고 싶고

걱정되고
좋은 꿈 꾸길 바라며
앞으로도 행복을 계속해서 빌어주는 것
그게 사랑인 것 같다는 뜻인 것 같다.

형태가 없는 그 사랑이란 것의 정의는
사람마다 다를 수 있지만
당신이 지금 생각하는 그 사람이
밤에 안녕히 주무셨으면 좋겠다.

(예고) 그런데 사랑보다 더한 게 있다?

연민

이동진(영화평론가, 기자, 작가, 철학가)는 사인을 해 줄 때 사인 외에도 글귀를 하나 적어준다고 들었다.

[사랑보다 연민]

처음 봤을 때 이해가 되지 않았다.
그 두 가지가 비교 대상이 되는가?
당시 내가 알고 있는 상식으로 이렇게 생각했다.
'사랑은 좋아하는 감정보다 더 깊은 감정이고
연민은 누군가를 불쌍하게 여기는 감정인데?'

그렇게 사랑보다 연민이라는 그 문장에 대해 이해 못한 채 짧게 생각하고 스쳐 지나갔다.

어느 날 문득 그 문구가 다시 떠올랐다.
혹시 단어의 뜻 중에 내가 모르는 게 있나 싶어서
사전적 의미를 찾아봤다.

사랑

1. (명사) 어떤 사람이나 존재를 몹시 아끼고 귀중히 여기는 마음. 또는 그런 일.

  2. (명사) 어떤 사물이나 대상을 아끼고 소중히 여기거나 즐기는 마음. 또는 그런 일.

  3. (명사) 남을 이해하고 돕는 마음. 또는 그런 일

  연민
  (명사) 불쌍하고 가련하게 여김.

  내가 알고 있는 것과 딱히 다른 것은 없었다.

  하지만 서울대 종교학과를 나온 분이 밑도 끝도 없이 그런 말을 했을 것 같지는 않아서 연민이라는 감정에 대해서 생각을 해봤다.

  연민은 불쌍해서 도와주고 싶은 동정과는 다른 것이다. 안타깝다고 여겨지는 그 마음 그 자체가 연민이라는 것이다.

  사랑과 비교를 해보니 그 감정이 더욱 확실해졌다.

  사랑에는 유효기간이 있다.

식는다.

변한다.

깨진다.

중단된다.

없어진다.

대상이 바뀐다.

분노로 변하기도 한다.

파괴된다.

제멋대로 다시 시작된다.

거짓으로 위장된다.

나이, 성별, 인종 등 대상자의 범위가 한정적이다.

상대가 나에게 하는 행동에 의해서 그 크기가 변하고 내가 상대에게 하는 행동에 의해서 상대도 대응이 달라진다.

하지만 연민은 그러한 사랑의 모순점을 뒤집는다.

연민의 감정은 변하지 않는다.

한번 안타까운 것은 끝까지 안타까운 것이다.

일관적이다.

연민의 대상 범위는 광범위하다.

국적, 인종, 나이, 감정 모든 것을 초월한다.

대상이 한정되지 않는다.

심지어 내가 싫어하는 사람에게도 느낄 수가 있다.

대상이 쉽게 바뀌지 않는다.

연민의 당사자가 나를 밀어내더라도 여전히 그를 바라보게 된다.

연민은 단순히 타인을 불쌍히 여기는 감정이 아니라 사랑의 모순점을 극복한 사랑보다 더욱 깊은 그런 감정이었다.

한 사람의 인생을, 그의 이야기를 더욱 깊이 이해할 수 있고 더 진지하게 받아들일 수 있는 그런 감정인 것이다.

[사랑보다 연민]

이 시기에 사랑을 하고 싶다는 생각보다 인간에 대한 이해를 하고 싶은 마음이 더 큰 시기여서 그런지 연민이라는 감정이 확 와닿았다.

그런데 최근에 다시 찾아보니

이동진 평론가는

[사랑보다 연민]이 아닌 [꿈보다 연민]이라고 써줬다

고 한다.

뭐지... ㅎㅎ

'그럼 내가 생각한 저게 뭐가 되는 거지?'

누구도 하지 않은 말에서 영감을 얻어 혼자 이상한 고찰 같은 걸 해버렸다.

하지만 원래 다 그런 거 아니겠나.

우주에는 원래 아무것도 없는 것인데

지구가

인간이

우리가

잠시 모습을 드러냈다가

제멋대로 혼자 상상하고 생각하다가

그렇게 적당히 사라지는 것이다.

다음에 시간 날 때 [꿈보다 연민]이라는 말에 대해서도 다시 생각을 해봐야겠다.

무기력

아무것도 안 하고
아무리 쉬어도
회복이 안 되는 느낌.
저속 충전인가?
때로는 아예 충전기가 빠져 있는
그런 느낌이 든다.

이 무기력함은
나약한 정신에서부터
오는 것 같다.

시대는 갈수록
발전하는데
마음은 갈수록
결핍되어 간다.

그럴 땐 충전기를 바꿔보는 것도 좋은 것 같다.
환경에 변화를 줘보는 것이다.
그래서 변화를 조금씩 시도 해보는게 좋다.

언 행 불 일 치

네가 뱉은 말은
네가 좀 지켜줬으면 좋겠는데

알고 그러나?
알고 그러면 쓰레긴데?

모르고 그러나?
그럼 병신인데?

공수레공수거

공수레공수거
빈 손으로 와서 빈 손으로 간다.
인생의 덧없음을 표현한 말이다.

그런데 어차피
빈손으로 왔다가 빈손으로 갈거면
살아있는 동안에
잔뜩 쥐었다가 가는것도 나쁘지 않은거 같다.

　인생이 덧없으면 의미 부여를 하고 동기부여를 하며 살아가는것
도?

존재의 이유

당신은 왜 사는가?

무엇을 위하여 살아가는가?

무엇 때문에 사는지 찾기 위해서 산다고?
그 답은 평생 나오지 않을 것 같다.
대충 억지로 답을 내리기도 한다.

존재는 주어진 것이라
의문을 가질 필요가 없다는데
그럼, 의문이 드는걸
애써 누르면 되는가.

그러다 보니
그냥 대충 매일을 즐기며 단순하게 살아가는 것도
나쁘지 않은 것 같다고 생각하게 된다.

그런 생각 안 들게 하루하루 치열하게 사는게 낫나? 그 종착지
는?

회피

우연히 마주쳐도 환하게 웃을 수 있는 사람이 있다.

아무 말도 아무 행동도 하지 않았는데 보기만 해도
웃음이 난다.

일부러 마주쳐도 피하고 싶다는 생각이 드는 사람이
있다.

뭘 해도 다 싫고 그냥 빨리 눈앞에서 사라졌으면 하
는 생각이 든다.

당신이 늘 후자가 아니라는 법은 없다.

인연 1

짧은 만남에 깊은 대화.

길고 얕은 인연이 있고
짧더라도 깊은 인연이 있다.

긴 세월의 인연은 그 깊이와 항상 일치하지 않는다.

때론 인연은 기간에 국한되지 않는다.

인연2

사람은 모두 인연을 바란다.

우연히 만난 운명 같은 그런 인연.

하지만 주로 악연을 만난다.

그 악연도 인연이다.

이제는 더 이상 인연을 기다리지 않는다.

주로 악연이 질긴 인연이 된다.

사 진

나는 너를 찍는다.

비록 사진 속엔
너만 찍혀 있지만

그 속엔
너를 바라보며 행복했던
우리의 순간이 담겨있다.

그래도 나도 같이 찍길 원하면 카메라를 전-후면 같이 찍히도록
설정하는 방법도 있긴 하다.

닭이 먼저, 달걀이 먼저

너 때문이다.
아니, 너 때문이야.

내가 그렇게 했던 건 네가 이렇게 했기 때문이야.
나도 그렇게 했던 건 네가 이렇게 했기 때문이야.

그걸 하지 않았으면 나도 이렇게 하지 않았어.
네가 그렇게 안했으면 나도 이렇게 안했어.

누가 닭이고 누가 달걀일까?

애초에 둘 다 안 태어났으면 그렇게 안됐을텐데.

뉴스

A : 그 사람이 그랬다고?
그렇게 안 봤는데
쓰레기인데?

B : 그 사람에게 그런 일이 있었어?
쯧쯧. 내 그럴 줄 알았다.

C : 그 사람 별로야.
친하게 지내지 마.

다른 사람 얘기를 어떻게 저렇게 쉽게 하지?
저런 악의적 소문 때문에 당사자는 얼마나 힘들었을
까? 진짜 못됐다 그치?

근데......
너 그 얘기 들었어?

나도 들은 걸 얘기한 것뿐이야. 라며 가짜뉴스를 퍼나른 책임감은
가벼워진다.

짜장면

모두가 짜장면을 외칠 때 "전 짬뽕이요."를 당당히 외치는 시대는 갔다.

모두가 짜장면을 외칠 때
"전 따로 먹겠습니다"를 외치는 시대가 왔다.

꿈 그리고 희망

"꿈이 없는 것도 비참하지만
안되는 꿈을 잡고 있는 것도 비참하다."

전현무 아나운서는 이 말을 했다가 어머니와 대중들에게 혼이 났다.

전현무의 어머니는 꿈이라는 건 꼭 이루어지는 게 아니고 안되는 꿈이라도 잡고 있어야 하는 것이라고 말씀해 주셨다고 한다.

일반적인 부모 입장에서는 아무것도 안하고 의욕도 욕심도 없이 집에 처박혀 있는 게 보기 힘들 수가 있으니, 뭐라도 하길 바라며 그렇게 생각할 수도 있다.

전현무가 사과하며 해당 이슈는 마무리되었다.

하지만 나는 그의 말이 틀렸다고 생각하지 않는다.

대신 발언의 영향력이 있기 때문에 신중했어야 하는 문제라고 생각했다.

꿈이 없는 것도 비참하지만 안되는 꿈을 잡고 있는

것도 비참하다는 것은 굉장히 현실적인 말이다.

안되는 게 뻔하지만, 괜히 옆에서 바람과 희망을 불어넣고 당사자가 그 말에 영향을 받으면 그것에 발목이 잡혀 장기간 묶여있게 된다.

실제로 그것을 해결할 도움은 안 되면서 그 사람의 인생에 개입하고 방치하는 것이다.

다른 것을 할 기회조차 없애는 것이고 그 결과 상대를 더 무능력한 사람으로 만들어 가는 데 일조를 한 꼴이다.
희망으로 상대가 고문하는 것이 아닌가.

그래서 자신이 나아가고자 하는 방향에 대해서 그 길이 맞는지 스스로 진지하게 생각해 볼 필요는 있다고 생각한다.

그게 맞다고 생각하면 계속해서 꿈을 향해 노력을 해나가야 한다. 아니라면 과감히 접고 새로운 꿈을 향해 나아가는 것도 나쁘지 않다.

우리는 직진만 하고 살지는 않는다.

커브 길에 따라서 우회전 좌회전을 하고 때로는 후진도 해야 한다.

어머니와 대중이 잘못됐다고 지적하기보다는 희망은 갖되 스스로 현실적인 시야를 갖출 필요는 있다는 말을 하고 싶다.

명상

마음을 편하게 하기 위해
명상 시간을 갖자.
나의 스트레스는
내가 다스리자.

아니, 시발 진짜. 생각해보니 빡치네.

자유

글을 읽는 것도 자유
그에 대한 해석은 자유

같은 글을 읽어도
다르게 해석하는 것도 자유

듣기 좋은 말에만 위로를 받고
골라서 공감하고
다른 사람을 욕하며 심적 안정을 찾는다.
그것도 자유다.

자유라는 이름으로
다른 사람의 자유를 침해하는 순간
자유는 자유가 아니게 된다.

세상에는 자유가 너무 많다.
이렇게 생각하는 것도 나의 자유다.

꿈

- 믿을 수가 없어. 이건 꿈일 거야.

- 그 시간들은 정말 꿈 같은 시간들이었어.

- 차라리 이게 다 꿈이라면 좋겠어.

- 마치 꿈을 꾸고 있는 것 같아.

- 꿈이라면 빨리 깨어버려.

- 이 꿈이 깨지 않았으면 해.

꿈이라는 건 대체 어떤걸까?

인맥

친분 쌓기, 친밀한 관계 형성이라고 쓰고
친목질, 뒷담화, 무지성 커버라고 읽는다.
내로남불로 이어지고 정치로 확대되며
진실은 왜곡된다.

"그럼 너도 그렇게 하던가, 그것도 능력이지"로 정당화 된다.

큰 혜자, 작은 혜자

혜자라는 성함을 가진 분을 우연히 만나게 되었다. 그 이름을 보자 옛날 초등학교 때의 기억이 떠올랐다.

초등학교 저학년 때 김혜자라는 여학생 2명이 있었다. 성과 이름이 완전히 똑같았다.
희미한 기억으로는 한자까지 같다고 했던 것 같다.

학기 초 선생님께서 그들을 구분하기 위해 큰 혜자와 작은 혜자로 부르자고 정해 주셨다.

초등학생 친구들은 모두 선생님이 정해주신 대로 잘 따랐다.

"혜자야, 아니 너 말고 큰 혜자."
"혜자야, 아니 너 말고 작은 혜자."
주변의 아이들은 그렇게 장난을 치기도 했다.

지나고 보니 남자도 아닌 여자애들에게 그런 크다, 작다는 표현들이 본인들에게 상처가 되었을 수도 있었을 것 같다.

 큰 혜자는 실제로 보통의 여자애보다 덩치가 컸다.
 작은 혜자는 실제로 보통의 여자애보다 왜소했다.

 왜소한 혜자는 작은 혜자라는 말이 싫었을 수도 있고
체격이 좋은 혜자는 큰 혜자라는 말이 싫었을 수도 있
다.

 선생님은 선생님의 시각에서 보이는 대로, 본인의 편
의대로 지었을 테지만 2명의 혜자의 입장을 전혀 고려
하지 않고 지어주셨다. 초등학교 시절 교실 내 절대자
인 선생님께서 본인의 권위와 함께 그걸 공개적으로
정해줌으로써 친구들로부터의 고정관념과 시야가 생겨
버렸다.

 선생님께서는 거기까지는 배려하지 못한 것 같다.

 어렸을 때 본 쇼트트랙에서 중국 선수 중에 동명이인
이 있었다.

 자막에는 항상 양양 A와 양양 S라고 표기되어 있었

다. 당시 그 뜻을 몰랐지만 지나고 보니 그들의 구분은
태어난 월이었다.

양양 A(8월생 August)

양양 S(9월생 September)

그것을 보니 혜자 A와 혜자 S는 어떨지 생각해 봤
다.

국제적인 행사도 아니고 한국에서,

방송도 아니고 현실에서,

어른도 아니고 초등학생들 상대로 쓰기에는 딱히 바
람직해 보이지는 않았다.

그것보다 더 중요한 것을 많이 다뤄야 하고, 여러 가
지를 고려해야 하는 선생님으로서 그들을 구분할 수
있는 뭔가를 정하기가 쉽지는 않은 것 같다.

살다보니 동명이인이나 이름이 비슷한 경우가 많았
다.

사람을 대할 때 나의 무의식 속에 편견이 깔려 있지
않았나 생각해 봤다.

한 줄의 따뜻한 위로

누군가가 피곤할 때
지치고 힘들어 할 때
그 사람에게 힘이 될 수 있는
그런 글 한 줄이 있을까?

"그동안 잘 해왔고
지금도 잘하고 있어
앞으로 잘될 거야.
지금 네가 괴로워한다는 건
성장하고 있다는 증거라고 생각해."

Fact : 한 줄이 아니다.

위로(자격)

언젠가부터
좋은 글,
따뜻한 글,
불특정 다수를 위로하는 글.
그런 걸 찾아보지 않게 되었다.

타인과 갈등을 겪은 후에 본인이 잘못된 행동은 인식도 인정도 하지 않은 채 좋은 글, 따뜻한 글을 보며 위로받는 사람을 보니 너 읽으라고 쓴 글이 아닐텐데 라는 생각이 든다.

글을 읽을 자격을 부여하면 나으려나?

먼 미래에는 어떤 문제를 저지른 사람이 좋은 명언을 읽으려고 하면 책에 그것이 인식되고 특정 메시지가 뜨도록 할 수 있을까.

[당신은 이 글을 읽을 자격이 없습니다. 글은 삭제됩니다.]

그리고 펑 하며 글이 사라진다.

펑! 하며 이 책도 사라집니다.

위로(경쟁)

누군가가 경쟁에서 패배했을 때 주변에서 위로를 하기 위해 무지성 공감이나 이긴 상대를 비난하는 경우가 있다.

위로를 받은 당사자는 내 편이 있고 응원해 주는 사람이 있구나 정도로만 받아 들여야지, 그것으로 인해 완벽한 위로를 받는 것은 그다지 바람직 하지 않다.

단순 정신승리는 본인에게 큰 도움이 되지 않는다.
자신을 속여선 안된다.
본인도 패배를 딛고 일어서기 위한 이유에 대해 스스로 납득이 가능해야 한다.
패배를 인정하고 그 이유를 분석하고 본인의 부족한 부분과 잘못을 보완한 뒤 실질적인 피드백을 해야 한다.
그렇게 한다면 그 경험이 후에 반드시 도움이 될 것이다.

그렇다고 영혼 없는 상태로 진 것은 신경 쓰지 말고

힘내라고 하는 것도 좋아 보이진 않는다. 그리고 경쟁에서 패배해서 힘들어 하는 상대에게 "너는 이래서 졌고 이것을 보완 해야한다" 라고 말하는 것도 딱히 바람직하지 않아 보인다.

그럴땐 스스로 답변을 찾도록 도와주는 것이 좋다고 생각한다. 옆에서 응원 해주며 그렇게 답을 찾도록 유도할 수 있다면 더 좋을 것 같다. 그렇게 본인 스스로 찾고 스스로 이겨내야 회복탄력성(Reslience)까지 갖춘 사람이 될 수 있다. 그래서 훌륭한 멘토가 곁에 있다는 것은 엄청난 일이다.

이렇게 생각했었다.

그런데 무지성 공감이나 상대 비난이 효과가 있는 경우를 많이 봤다.

나도 모르겠다.
정답은 없으니 알아서 하고 싶은대로 해라

위로(선택)

"진짜 이렇게 하려고 했는데"
"진짜 살려고 했는데"
"진짜 알고 있었는데"

우리는 선택에 대해 후회한다.

그런데 주로 보면 무조건 잘 됐을 때를 가정하는 경우가 많다.

현실적으로 다시 잘 생각해 보면 당시에는 그게 최선이라고 생각했기 때문에 그렇게 한 것이다.

그래서 당시 당신은 그 판단을 내린 것이다.

결과적으로 차선책이 더 좋은 판단이었을 때 후회를 한다.

너의 과거 선택을 스스로 부정하는 것이다.

그러면 처음부터 차선책을 선택했으면 된다.

당시에 너 스스로가 최선책이 아니라고 생각했고 현재의 판단을 내린 것을 기억해 내야 한다.

우리는 우리 스스로를 가장 잘 알아야 한다.

네가 한결 같다는 걸 스스로 증명해 보길 바란다.

다시 그때로 돌아가 같은 판단을 했을 거라면
그럼 너는 같은 선택을 했을 것이고
결국 이 결과를 맞이했을 것이다.

잘 됐을 때를 가정하며 그것을 선택하지 않은 것을
후회하기보다는 어차피 이렇게 됐을 것이란 걸 받아들
이고 그런 결과를 맞이했을 때 할 수 있는 것을 생각
해 보는 게 더 빠르다.

만약 최종 판단을 내리는데 부족한 부분이 있었다면
그 정보를 채워 넣거나 부족한 것을 채워 넣으려고
시도하는 것이 낫다.

그렇게 생각하며 상처를 주지 않기 위해 한마디 말을
한다.

"그래도 다 잘될 거야 힘을 내!"

위로(탈락)

[불합격했어. 시간 낭비했네.]

"아니야. 넌 좋은 경험을 한 거야. 너는 최선을 다했고 그 경험이 언젠가는 도움이 될 거야!"

[이 탈락이 어떤 도움이 될지 모르겠는데?]

"그 경험을 바탕으로 한걸 이제부터 찾아갈 수 있잖아! 네가 무엇인가를 열심히 한 그 시도 자체가 좋은 경험이야! "

[이제 지긋지긋해서 이거 안 하고 싶은데?]

"그러면 무엇보다 네가 자아를 찾아가는 과정에는 큰 도움이 되었을 거야. 내가 무슨 일을 잘하는 것을 찾아가는 과정을 겪었고 언젠가 안정적으로 되기 전까지 어떤 노력을 했는지는 확실하게 누적됐을 거야."

[뭐 어떤 것도 하기 싫네. 이것만 해왔는데 이것도 안 됐는데 앞으로 내가 무엇을 해도 잘할 수 있겠어?]

"......고기나 먹자!"

말투

두 사람의 대화를 듣고 있었다.

A는 고민을 이야기했다. 서로 대화를 주고받으며 진지한 고민 상담이 진행되었다.

그 말을 듣던 B가 이렇게 말했다.

"아, 우리가 지금 그 생각을 놓치고 있는 것 같아! 이거 아니었을까?"

B는 이렇게 말할 수도 있었다.

"네가 지금 그 생각을 못하고 있는 것 같은데? 이거 아냐?"

후자보다 전자가 따뜻한 느낌이 들었다.

단어의 선정이 달랐다. 상대를 존중하고 배려하는 느낌도 났다.

[우리] = 나는 너의 이야기에 이미 몰입해 있다. 그러니 이건 너 혼자만의 이야기가 아닌 우리의 문제다.

[놓치고 있다] = 네가 거기까지 생각 못 하는 게 아니라 잠시 놓친 것이다.

따뜻한 말투에는 상대에 대한 배려가 녹아 있었다.

일단 나는 그렇게 말하지 않는다. 당신은?

기억

누구나 잊고 싶은 것이 있다.
시간이 지날수록 조금씩 잊혀 간다.

그렇게 시간의 흐름에 따라서
기억이 희미해져 가는 것은

시간이 지날수록
기억하고 싶은 것을
계속 기억해 낼 수 있는 것에 대한 보상이 아닐까?

기억은 망각과 별개라고 한다면 당신이 맞습니다.

창작의 가치

내가 어떤 경험을 하고
거기서 영감을 받아
어떤 방식이든
어떤 수단이든
무언가로 그 영감을 표현하는 것.

불특정 다수의 사람이,
내가 만든 작품을 통해,
기뻐하고, 재밌어하고, 신기하고, 감동을 받는 것.
내가 받은 영감 그대로가 아니더라도 내 작품을 통해
또 다른 영감을 받는 것.
내가 예상치 못한 부분에서도 의미를 가지고 감동을
받는 것.
노력의 가치가 빛을 발하게 된다.

큰 기쁨이자 다음 작품에의 의지와 동력을 얻는다.
삶의 동력이 된다.

창작자로서 그것은 멋진 경험이다.

행복

타인의 기쁨이 나에게는 아무것도 아닐 수도 있다. 그리고 나의 기쁨이 타인에겐 아무것도 아닐 수가 있다.

각자 스스로 행복을 위해서 산다.

행복은 상대적인 것이니까.

나의 행복을 추구하다 보면 원치도 않게 타인의 불행을 초래하는 결과를 가져오기도 한다.

나 때문에 타인의 불행해지는 것을 바라지 않기 때문에 나의 행복을 위한 과정에 타인을 살피고 배려하는 검증 절차가 추가된다. 여러 가지를 배려하다 보면 원래 목적지에서 멀어지게 되고 나의 행복 완성도가 점점 떨어지게 된다.

하지만 그때 상대는 나를 배려하지 않고 본인만의 행복만을 일방적으로 추구한다.

나 혼자 배려하고 있는 것이다.

상대에겐 배려가 배려가 아니고 그냥 현상인 것이다.

그런 것들이 반복되면 나도 타인의 감정을 배려하지 않고 나만 행복하자는 생각이 든다.

각자의 행복을 위해서 사는 것을 응원했지만 갈수록 나의 행복을 우선하자는 결론이 나온다.

행복은 상대적이다.

상대적인 행복은 이기적이다.

그것은 절대적이다.

행복 꽃, 불행 꽃

누구나 마음속에 행복이란 꽃이 있다.

하지만 나는 불행이라는 꽃에 주로 물을 준다.

내 감정이라는 꽃밭에 있는 많은 꽃 중에서 불행 꽃
에 유독 손이 간다.

미운 놈에게 떡 하나 더 주는 심리인가.
불행 꽃에 물 한 방울 더 주며 불행한 감정을 키운
다.

나 스스로 불행한 꽃밭의 비련의 주인공이 되고 싶어
하고 있는 것 같다.

Short Form

짧은 글.
스쳐 지나가는 생각.
휘발성 뻘글.

짧고 강력한 영상.
자극적인 내용.

시대적 변화에 따라
짧은 형식의 글, 영상, 각종 콘텐츠가 범람한다.

하지만 새로운 가치의 부작용만을 강조하기보다 그곳
에서 오는 새로운 효과와 수요에 대해 생각해 보는 게
좋은 것 같다.

가볍게 스쳐 지나가는 것에도 의미가 있다.

당신과 나 사이에도 의미가 있다.

발표

초등학교 저학년 때 담임 선생님이 만든 발표 문화가 있었다.

선생님이 수업 중에 대해 질문했을 때,

학생 중에 정답을 아는 사람이 "예! 제가 발표해 보겠습니다"하고 자리에서 일어나면서 외치도록 정했다.

자기가 아는 것을 티를 내고 싶은 수십 명의 아이들이 동시에 "예! 제가 발표해 보겠습니다."라고 외치게 되었다.

어린 학생들이 그렇게 외쳤을 때 선생님께서는 제일 빨리 외친 학생에게 기회를 주거나, 선생님이 직접 발표자를 선택하시기도 했다.

주로 정답을 말하고 싶은 학생이 선 채로 발표 문구를 반복하며 외치고 때로는 정답까지 계속해서 외치면서 발표의 의지를 표하며 마지막까지 서 있는 학생에게 발표할 수 있는 권한이 주어졌다.

권한을 받은 학생은 전체가 조용해진 상태에서 정답을 발표했다.

나는 별로 끼고 싶지 않았던 문화였다.

당시 선생님의 의도는 학생들이 자신감을 가지고 목

소리를 내보는 경험을 제공하고 발표력을 키우고 양보하는 것을 익혀보라는 취지였을 수도 있겠다고 생각했다.

그걸 1년 동안 했었고 나도 그런 문화에 익숙해졌지만, 선생님의 취지와는 달리 정답을 알아도 나서지 않는 아이가 되었다.

그러다가 학년이 하나 올라갔고 같은 반 학생 중에서 5~6명이 다시 같은 반으로 편성이 되었다.

새로운 담임 선생님이 질문을 하자 같은 반 출신의 학생들 5명 정도가 동시에 "예! 제가 발표해 보겠습니다!"라고 하면서 자리에서 벌떡 일어나서 정답도 막 중얼거렸다.

그때 당시 선생님과 다른 반에서 온 학생들은 굉장히 당황해했다.

선생님께서는 학생들을 진정시키고 앉혔고 학생들이 몇 반이었는지, 담임 선생님 누구셨는지 물어보셨다.

그리고 그렇게 하지 말고 그냥 손만 들거나 선생님이 물어보면 그때 대답하는 거로 정리하셨다.

새 담임 선생님께서 전 담임 선생님을 대놓고 깎아내리지는 않았지만 그걸 좋게 바라보시진 않았고 살짝 곤란해 하셨던 건 확실했다.

그래서 순간 열심히 하려고 했던 학생들은 무안하게
되었다. 서로가 당황스러울 수 있는 그런 상황이었고
학년이 바뀌고 학급 문화를 바꿔야 하는 상황이었다.

지나고 보니 이전 문화를 부정하거나 누구였는지 확
인하면서 잘잘못을 따지는 형식으로 할게 아니라 그것
은 전학년 때 어떤 반의 문화였고 이제 새로운 학년이
되었고 반도 다르고 선생님도 다르니 여기서는 새로운
규칙을 적용해 보자고 했으면 어땠을까 싶다.

이런 식으로 다른 문화를 존중하는 법, 새로운 규칙
을 또 받아들이는 법을 배우도록 하는게 좋지 않았을
까 하는 생각이 문득 들었다.

어쨌든 나는 조용해져서 좋았다.

생각 분리

아 이 생각은 나를 도와주는 생각인지
이 생각은 나를 망치는 생각인지를 판단하고
선별적으로 떨쳐내는 것도 중요하다.
머릿속에 드는 모든 생각을 다 해내야 하고
끝까지 파고들어야 한다는
그런 생각에서 벗어나야 한다.

이 생각은 하던 생각을 끝까지 파고든 결과 나온 결론이다.
그럼 하나의 교훈 얻었으니, 파고들만 한거 아닌가?

사고의 폭

"윽, 그거 왜 먹어?"

"그런 생각 왜 해?"

"그런 건 왜 하고 앉아 있는데?"

본인 기준에서 이해되지 않는 것을 하는 상대는 이상한 사람이다.

나도 그런 사람을 보며 생각한다.

"이상한 사람이네."

세상엔 이상한 사람투성이.

아이러니

마음에 드는 노래를 찾았다.

듣다 보니 표절곡인 것 같다.
기술적으로 표절의 기준에 못미치더라도
적어도 내가 느끼기에는 표절이라고 생각된다.

완벽하게 새로운 곡을 만들어 낸 것은 아니지만
원곡에서 영감을 받고
그로부터 만든 노래가
비슷한 분위기를 연출하고
나에게 더 듣기 좋은 곡을 만들어 냈다.
그래서 그 노래로 감성이 차오르기도 했고
위로도 많이 받았다.
원곡보다 표절(의혹)곡이 더 익숙하고 좋아져 버린
것이다.

하지만
대중적으로 욕을 먹고

표절 확정을 받아 처벌을 받고
곡을 내리게 되고
노래와 이별을 하게 된다.
하지만 여전히 나에게는 의미 있는 곡인 것이다.

분명 타인의 작품을 훔치는 행위는 잘못됐다.
기술적 표절 범위의 기준은 옳은가?
표절과 영감의 선은 어디까지인가?
세상에 완전히 새로운 것이 있는가?

법적 처벌이나 도덕적 비난이 아닌
지분의 분할로 해결이 됐으면 좋겠다.

라고 하면 온갖 표절작이 남발하겠지.

겨울의 너, 봄날의 나

차가운 겨울.
잎이 다 떨어지고 가지만 앙상하게 남아있다.

나도 긴 겨울을 겪었고
짧은 봄이 찾아오기도 했다.
물론 또다시 겨울이 오겠지만
지금 겨울을 보내고 있는 당신에게
힘이 되어주고 싶다.

지금이 너무 힘들겠지만 너무 걱정하지 마!
금방 지나갈 테고 지나가면
또 행복이 찾아올 거야

조금이라도
잠시라도
위로가 되었으면 해.

잠시나마 봄날을 보냈던 내가
봄기운을 전달하며

팩트

겨울이 지나면 봄이 올 거야.
↳ 나도 안다.

걱정하지 마.
↳ 걱정이 된다.

다 잘될 거야.
↳ 다 잘되지는 않는다.

넌 사람이 왜 이렇게 매사에 비관적이니?
↳ 넌 왜 그렇게 현실을 모르니?

Ctrl C

다른 곳에 저장되어 있던 짧은 시를
책 제작을 위해 이곳으로 옮기다가
한글 프로그램에서 튕겨 버렸다.
한글 파일에는 저장이 안 돼 있고
처음 저장되어 있던 곳엔 완전 삭제 처리를 해버렸고
Ctrl V를 해도 붙여넣기가 되지 않는다.

내용이 기억나지 않는다.
'오 괜찮네. 이런 것도 썼었구나' 했던 그 일시적인
감상만이 생각이 난다.

저 먼 우주 어딘가에 복사되어 있겠지.
나의 우주 속에서는 함께하지 못했구나.
그렇게 스쳐 지나간 나의 시......
그곳에선 행복하길.

행복 기원충?

인증 번호

귀하의 인증 번호는 [270176]입니다.

이 숫자와는 앞으로 영원히 다시 만나지 않을 것 같다.

숫자와의 일회성 만남.

언젠가 누군가의 전화번호 일부나 알 수 없는 물건의 상품 번호로 스쳐 지나갈 수는 있을까?

'안녕. 이제는 너의 숫자 나라에서 행복하게 잘 살아.

네 덕분에 나는 인증을 받고 내 할 일을 끝낼 수 있게 되었어.'

그렇게 끝난 스쳐 지나간 숫자와의 인연.

쓰고 보니 나 좀 이상한 놈 같다.

꿈

누군가가 자신이 가진 꿈에 대해서 열심히 이야기하는 것이 좋았다.

그것이 허황한 꿈이든 아니든 실현할 수 있든 불가하든 하고 싶은 게 명확하게 있고 그것을 위해 노력해가는 과정이 멋있었다.

어린아이가 자신이 먹고 싶은 것을 설명할 때
학생이 대학이나 자신의 미래에 대해서 이야기할 때
돈을 번 사람이 본인의 투자 계획에 대해 설명할 때도 그렇다.

자신이 꿈을 꾸고 그것을 향해 노력하며 계속해서 나아가는 것을 보면 마음속으로 응원하게 된다.

확신이 있고, 전략도 있고 노력도 있고, 시야도 있으면 언젠가는 이루어질 것 같다는 느낌을 받는다.

물론 누구나 다 계획은 있다. 처맞기 전까지. 처맞아도 그것을 이겨내는 것을 보고 싶다.

공리주의

평소 좋아했던 과학 커뮤니케이터 [궤도]라는 사람이 있다. 그가 서바이벌 게임에 나왔다. 서바이벌 게임에서는 승부를 위해 이기적이거나 독하게 승리에 집착하는 모습 등이 나와야 대중의 흥미가 높아진다. 지식인인 그에게 그런 모습이 보고 싶지 않아 그 출연이 딱히 좋은 결정이라고는 생각 하지 않았다. 그래도 좋은 머리를 활용해서 기발한 전략으로 승리를 노리는 모습을 기대했다.

그런데 그는 게임을 하는 내내 공리주의 논리를 펼치며 모두의 행복을 추구하고 다같이 살아남자는 모습을 보였다.

하지만 서바이벌의 특성상 하하호호 하는 가운데에서도 당연히 회차마다 승패가 결정되고 탈락자는 발생한다. 한명이 떨어지면 모두가 다같이 가서 위로 해주고 하는 식으로 진행이 되었다.

소수 연합의 위로까지는 이해하겠으나 탈락자가 나올 때마다 매번 모두가 눈물짓고, 탈락 시켜놓고 모두가 같이 슬퍼하는 모습은 서바이벌에서 기대한 모습이 아니었다. 그래서 재미가 떨어지자 화제성도 기존의 다른 서바이벌 게임만 못했다.

'서바이벌에서 공리주의를? 어차피 한명씩 탈락하는 걸 알면서도 왜 굳이 저렇게 사람 좋은척을?'

그런데 지나고 보니 우리 인생도 서바이벌이고 언젠 가는 다 죽는거 알고 있지 않은가? 그럼 그 과정에서 서로 응원해주고, 탈락시키고, 위로해주는 것이 바람직 한 모습이지 않은가?
예능에서 내가 기대하는 장면을 실행해 주기를 바람 으로서 실망이 생긴 것 같다.

그는 비록 서바이벌에서 기대한 재미는 주지 못했지 만 그 시도는 또 다른 의미로 다가왔다.

양면

유튜브를 통해
궁금했던 것들을 많이 알게 되었다.

부유층의 삶.
궁금했던 아파트의 실내 구조.
오르지 못하는 산을 간접적으로 등반.
바닷속 생명체들의 모습.
타인의 소소한 생각 등.

그런데 다양한 의견을 듣는 것은 좋지만
그만큼 쓸데없는 말, 개논리, 똥글도 많았다.

타인의 생각이 궁금했지만
타인의 생각을 알고 나니,
타인의 생각을 알 필요까지 없다는 생각이 든다.
환상은 환상대로 의미가 있는 부분이 있었다.

당신도 타인인 내 생각이 담긴 이 책을 읽고 있다.
별로 궁금하지도 않았던 내 생각을 알게 된 맛이 어떠냐?!

선택 장애

사람들은 변화를 추구한다.

각자 취향은 다양하다.

"맨날 똑같은 거 먹으니까 질리네……"

수요에 맞는 다양한 공급이 주어진다.

주어지는 다양한 선택권이 생겼다.

그에 따라 적응하는 시간, 비용, 노력이 필요하다.

선택에 대한 확신도 줄어든다.

사람들은 선택에 어려움을 느낀다.

이제는 선택권을 많이 줘도 문제가 된다.

"쓸데없는 게 뭐가 이리 많아."

"누가 좀 정해줬으면 좋겠다."

"Simple is the best!"

"추천 좀……"

그냥 무난한 것을 고르는 사람들.

"맨날 이것만 먹으니까 질리네……"

다시 원점으로 돌아온다.

돌고 도는 세상.

선택과 집중

요즘엔 동기부여 하는 말만 보고 과감히 실행하는 사람이 많아지고 있는 것 같다.

[잘하는 것에 집중하고 두각을 나타낼 수 없는 것은 과감히 포기하고 내려 놓아라!]

[내가 연봉 9천만원 직장을 퇴사한 이유]

[남들 부러워 하는 대기업을 과감히 그만둔 썰]

내용을 보면 "나의 과감한 판단을 봐라. 나는 나의 선택을 후회하지 않는다. 나는 내가 하고 싶은 것을 할 것이다! 내가 가는 길을 지켜봐 달라. 당신도 할 수 있다"를 보여준다.

이런 식의 누군가가 멋지게 외친 말에 쉽게 현혹 되어선 안된다. 사람마다 처해진 상황, 환경, 여러 가지 요소들이 다 다르기 때문에 다양한 경험을 쌓고 누군가의 교훈을 스스로 체감을 해보는 훈련이 필요하다.

무책임한 듣기 좋은 말은 누구라도 한다.

봐라. 나도 한다.

사필귀정 [事必歸正]

사필귀정 : 무슨 일이든 결국 옳은 이치대로 돌아간다는 뜻.

하지만 살다 보니 일은 항상 모두 다 옳게 돌아가지는 않는 것 같다.

[바르다. 옳다]라는 기준은 사람마다 다르다.

권리를 외치고, 주장을 하고, 시비가 붙고 싸움이 난다. 본인의 욕구를 충족시키기 위해 결국 이기적으로 변한다. 이익이 충돌되면서 다툼이 커진다. 집단을 만들고 무리 지으며 이기심은 더욱 조직적으로 변한다.

그럴 때는 어떻게 풀려야 일이 옳은 이치대로 가는 것인가? 모두를 만족시키는 옳은 방향은 없다.

사람들은 권선징악을 바란다. 내가 싫어하는 저 사람이 불행하길 바란다. 상대가 원하는 것을 갖지 못하도록 한다. 내가 선이고 저 사람이 악인 것이다.

본인에게 유리하게 되도록 바랄 뿐이다.

내가 옳다고 생각하는 기준이 과연 옳은 것인지 다시 한번 잘 생각해보자.

콘텐츠

여기저기 돌아다니는 명언 글을 캡처한다.
대충 좋아 보이는 말에 「좋아요」를 누른다.
동기부여 하는 글을 보고 고개를 끄덕인다.

마음속에 새겼는가?
머릿속에 새겼는가?
캡처한 걸 다시 보기는 했는가?

결국 당신이 한 것은
한 줄의 명문으로 인해 행동이 변화한 것이 아니라
누군가가 만든 [콘텐츠의 소비]일뿐이다.

행동에 아무런 변화를 주지 못한 채
감동, 재미만을 느낀다.

그렇게 또 다른 형식의 콘텐츠를 소비하기 위해 손가
락을 움직인다.

라고 하며 당신은 저의 콘텐츠를 소비하였습니다.
구독, 좋아요, 댓글, 팔로우. 하트, 공유 부탁드립니다.

마치며

글을 다 쓰고 보니
내가 쓴 것은 시도 아니고 에세이도 아니다.
형식이 뭐라고 정의를 못 내리겠다.

하지만 형식이 중요한가?

그냥 나에게 스쳐 지나간 생각이 저것이었고
그걸 내 맘대로 표현했을 뿐이다.
나에게는 그걸로 충분하다.

음치가 진심을 담아
노래한 것으로
봐주길 바라며
이번 책의 마무리를 지어본다.

에필로그

　어린시절. 만화를 좋아했던 나는 유명한 만화의 캐릭터를 어설프게 흉내를 내며 그림을 몇 장 완성했다.

　그리고 내가 직접 그린 나의 만화책을 갖고 싶다는 생각을 했다.

　시간과 노력을 해서 만든 그 결과물이 내 손에 잡히는 그런 걸 하고 싶었던 것 같다.

　그리고 주변 사람들에게 좋은 점, 개선점 등에 관해서 이야기를 해보고 싶었다.

　하지만 90년대에는 만화책을 출간할 유일한 방법은 만화출판사에 원고를 내고 합격하여 정식으로 만화를 출간하는 것이었다.

　나는 완성도가 없고 허접하더라도, 팔리지 않더라도, 나에게만 의미 있는 책이더라도 내가 그린 나만의 책을 소장하고 싶었을 뿐이었지만 그것은 불가했다. 그러던 어느 날 시장 안에 출판소가 있는 것을 발견했다.

　고개를 들고 살짝 둘러본 출판소에서는 인쇄물이 빠르게 찍혀 나오고 있었다.

　그렇게 지나가며 매번 쳐다만 보다가 하루는 용기를 내어 안으로 들어가서 물었다.

　"아저씨. 제가 원고를 만들어 오면 그걸 책으로 만들어 줄 수 있나요?"

　아저씨는 초등학교 저학년이었던 나를 훑어보고 대충 답했다.

"몇 권이나?"

"2~3권 정도요."

"안돼."

"조금 더 할 생각도 있어요"

"얼마나?"

"10권까지도요."

"안돼."

"그러면 최소 몇 권은 해야 해요? 그렇게 하면 권당 얼마에요?"

출판소 아저씨는 귀찮은 소리 더 하기 싫다는 듯이 대답도 하지 않았다.

그래도 출판소를 운영하고 계시니까 그렇게 할 수 있는 곳을 알고 있을 수도 있을 것 같아서 할 수 있는 곳을 알려줄 수 있냐고 물었더니 그 정도의 분량은 어디를 가더라도 해주는 곳 없을 거라고 했다.

내가 방문한 곳은 학원에 납품하는 교재를 전문으로 만들며 대량 출판만 다루는 곳이었고 소량 출판은 전국적으로 시스템 자체가 갖추어져 있지 않았다.

아저씨는 있는 사실 그대로 말했을 뿐이다.

당시는 소량 출판, 개인 맞춤형 책 제작은 불가한 것이었고 아저씨에게 나는 안되는 것을 무리하게 요구하는 진상일 뿐이었다.

내가 그림을 그려봤자 글을 써봤자 책으로 만드는 게 불가

하다고 판단되자 의지를 잃어버렸다.

　물론 글을 쓰거나 그림을 계속 그려 나갈 수도 있었지만 단순 취미였던 것들은 특별한 동기부여가 없자 흥미가 급속도로 식어갔다.

　그렇게 나의 책 제작 프로젝트는 끝났다.

　2000년대가 되었고 시대가 변했다.

　인터넷이 발달하고

　출판업이 발달하고

　배송업이 발달했다.

　이어서 개인 출판 시대가 찾아왔다.

　원고만 있으면 몇 일 내로 내 책을 배송 받을 수 있다.

　누구나 책을 쉽게 만들 수 있게 되었지만, 이제는 의지를 잃어버린 어른이 된 나는 하루를 대충 살아가게 되었다. 나의 책을 만들어 보자는 그 꿈은 하나의 버킷리스트로만 기록된 채 어느새 꾸깃꾸깃 접혀 있었다.

　'당시 포기하지 않고 꾸준히 뭔가 써 내려갔다면?'

　원고를 모아 소량 출판이 가능하게 되자마자 바로 책을 만들 수 있었을 것이다.

　굳이,

　귀찮아서,

시험 준비해야 해서,

취업해야 해서,

일해야 해서

살아가는 게 바빠서,

여러 가지 핑계가 계속해서 생겼다.

그래도 이제라도 어렸을 때의 작은 소망을 겨우 이렇게 완성했다. 스스로에게 굉장히 좋은 경험이 된 것 같다. 그리고 이것을 계기로 앞으로 또 여러 가지를 할 수 있을 것 같다는 생각이 들었다.

내가 직접 쓴 책을 가지고 싶다고 생각을 한 뒤 시간이 흘러 2024년에 겨우 완성한 이 책을 어린 시절의 나에게 보내고 싶다.

Thanks To

크든 작든 제 글에 영향을 끼쳐주신 분들에게 감사 인사 전합니다. 나의 글이 누군가를 바꿀 수 있다고 생각하지도 않고 바꾸고 싶지도 않습니다. 그래도 제가 잠시 정리한 글이 누군가에게는 신선하게 다가오고 그것으로 기분의 전환이나 가벼운 생각거리가 될 수도 있다면 좋겠습니다.